GUIDE BOOK

지서 地書
점에서 점으로

펴낸날	1판 1쇄 2015년 8월 8일
지은이	쉬빙 徐冰
펴낸이	윤미경
펴낸곳	헤이북스
출판등록	제2014-000031호(2013년 6월 13일)
주소	경기도 성남시 분당구 운중로 166번길 19-6(운중동)
전화	(031) 603 6166
팩스	(031) 624 4284
이메일	heybooksblog@naver.com
편집	윤미경
교정교열	김영회
디자인	류지혜
마케팅	김남희 김형은
찍은곳	한영문화사
ISBN	979-11-953169-6-0 04820

. 🔍, 🌑🔍, 🌍🔍, 📍🌍🔍, 🏙️🔍,

쉬빙(徐冰, Xu Bing)

'차이나 아방가르드' 1세대로 분류되는 그는 설치미술가이자 서예가로서 국제적으로 존경받는 예술가이다. 가장 전통적이면서도 가장 현대적인 작업을 하며 서예와 탁본에 기초한 대규모 설치작품으로 문자와 소통의 문제를 말한다. 9.11테러로 발생한 먼지를 수집해 그것으로 '먼지는 어디서 스스로 오는가?'라는 선시(禪詩) 같은 글귀를 남기는 설치미술과, 영어 알파벳을 한자의 상형문자로 그려내어 새로운 영문자(The new English Calligraphy)를 만들어내는 개념 작업이 대표적이다.

미국 문화계의 최고상인 맥아더 어워드(MacArthur Award)를 수상했고, 일본 후쿠오카 아시아 문화대상 예술문화 부문을 수상하기도 했다.

중국 충칭시에서 태어나 중국 최고 수준의 예술교육기관이자 유일한 국립미술대학인 중앙미술학원(Central Academy of Fine Arts)에서 공부했고, 동 대학원에서 석사 학위를 받은 그는 미국으로 건너가 창작활동을 했다. 컬럼비아대학에서 인문학 명예박사 학위를 받기도 한 그는 중국 현대미술의 미래를 가리키는 나침반과 같은 비중 있는 교육자로 불리며 최근 6년간 중앙미술학원 부원장을 역임했다.

저자의 메시지

《지서》는 각종 심볼과 기호를 수집, 정리하여 펴낸 책이다. 책의 내용은 '미스터 블랙(대표적인 화이트컬러 직장인)'이 24시간 분주히 사는 모습을 재미있게 그려낸 것이다. 이 책의 특징은 성숙한 전통 문자를 일절 사용하지 않았기 때문에 어떤 지역에서 출간되어도 번역이 필요 없다는 것이다. 다시 말해 이 책에서 사용한 '심볼 문자' 시스템은 기존의 지식 수준과 지역 문화를 초월했으므로 독자들이 어떤 문화 배경 속에 있거나 어느 정도의 교육 수준을 가졌는가와 상관없이 누구나 즐겁게 읽을 수 있다.

현재 국제화의 추세는 세계를 하나의 '지구촌'으로 만들었다. 이 거대한 '지구촌'과 문자 최초 형성기의 마을이 다른 점은 '지구촌 주민들'이 서로 다른 수백 가지 언어와 서로 통하지 않는 부호를 사용하면서 함께 생활하고 있다는 점이다. 결국 전통 문자는 과거 시대에 겪지 못했던 미증유(未曾有)의 도전을 받게 되었고 인류가 다년간 꿈꿔 왔던 '보천동문(普天同文, 전 세계의 쓰는 글자가 같음)'의 소원은 현시대의 절박한 수요로 다가왔다. 전설 속의 바벨탑의 지섭(指涉)이 다시 되살아난 느낌이라고나 할까. 인류는 문자 형성 초기의 역사를 중복하고 있다. 현대 사람들이 휴대폰으로 읽는 것의 많은 부분이 '심볼 문자'이듯 현시대는 다시 상형문자 시대의 시작을 알리고 있다.

이런 '심볼 문자'들을 편집할 때 나는 주관적인 발명과 창조를 하지 않고 오로지 수집과 정리, 포맷하는 작업만을 원칙으로 삼았다. '심볼 문자'들은 이미 보편적인 인식 기초와 문자의 성격을 띠고 있기 때문이다. 이 책의 모든 '문자'는 그 유래와 출처가 분명하게 있는 문자들이다.

2015. 7.
쉬빙

Book From

The Ground

From Point —

Commentary / Review

To Point

해설

김성도 _ 고려대학교 언어학과 교수, 세계기호학회 부회장 필자는 지난 7월 초 매우 특별한 경험을 했다. 언젠가는 한 번쯤 꼭 보고 싶었던 인류 최초의 선사 미술 유적지인 프랑스 남부에 위치한 쇼베 동굴의 원형 복원 센터La Caverne du Pont d'Arc를 방문해 선사 이미지의 '아우라'에 심취할 수 있었다. 아쉽게도 제한된 관람 방식으로 진행되어 사진 촬영이 금지됨은 물론 감상 시간 역시 한 시간 반 정도로 짧은 시간이었다. 하지만 완벽하게 복원된 동굴벽화의 생동하는 이미지는 지금도 눈에 선하다. 사자, 들소, 사슴, 곰 등 여러 종류 동물을 생생하게 재현한 솜씨에도 놀랐으나, 아직도 필자의 뇌리에 선명하게 각인된 것은 동굴 초입부에서 마주친 부엉이의 이미지이다. 단 몇 개의 선들로 그려진 그 데생은 필자가 이제까지 본 어떤 그림보다 깊은 정신적 울림을 가져왔다. 3만 6000년이라는 시간의 영겁을 초월하여 이미지가 갖고 있는 불멸성을 관념이 아닌 나의 몸으로 직접 체험한 것이다.

그렇다. 상고 구석기 시대에 그려진 그 휘황찬란한 이미지는 현생 인류의 직계 조상인 호모 사피엔스Homo sapiens가 구사했던 음성 상징 언어와 더불어 거의 같은 시기에 성취한 시각언어의 완벽한 증언인 것이다. 태초에 말이 존재한 것과 더불어, 인류는 제일 먼저 이미지를 통해서 메시지를 전달하고 소통했던 것이 분명하다. 3만 년 이상 각고의 준비 기간을 거쳐 신석기시대를 지나 드디어 창발한 문명의 도래와 더불어 인류는 상이한 문명권과 언어 사용권에서 제각기 다른 문자를 발명했고, 각기 다른 민족 언어들을 문자로 기

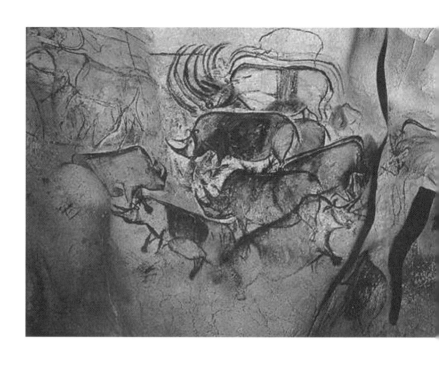

쇼베 동굴 벽화

록하면서 보편적 의사소통의 길은 점점 멀어져간 것이다.

바벨탑 신화가 일러주듯이, 신은 인간이 보여준 자신의 권위에 대한 도전과 교만을 응징하기 위해 방언들을 서로 섞어넣으면서 인간의 언어를 혼란에 빠뜨렸다. 그 결과 인류는 서로 상이한 언어들을 사용하면서 통역 없이는 다른 민족들의 언어를 이해할 수 없는 언어적 불통의 고통을 경험하게 되었다. 그러니까 대략 5만 년 전에 인류는 이른바 오늘날 인류가 사용하는 상징 시스템의 자연언어(이것을 일러 학자들은 'The Modern language'라고 부른다)를 구사했고, 그것과 거의 같은 시기에 믿기 어려울 정도의 조형적 탁월성으로 동물을 재현하는 이미지를 생산해냈다. 그러다 대략 1만 년 전에 발생한 신석기 혁명부터 농사를 짓기 시작했고, 기원전 4000년 전에 최초의 문자 발명에 도달했던 것이다.

문자의 발명, 특히 알파벳 문자는 인간의 추상적 사고, 소리 값을 기록하는 표음화와 더불어 무엇보다 인간의 사유를 직선화시켰다. 페니키아인Phoenicia人들로부터 수입한 알파벳 문자의 채택과 더불어 고대 그리스에서 추상적인 기하학과 고차원적인 철학적 사유가 탄생한 것은 이미 알려진 바와 같다. 하지만 알파벳 문자의 발명과 더불어, 인류는 선사시대의 인간들이 소유했던 이미지적 사유, 즉 다차원적 사유의 가능성을 망각하고 말았다. 특히 민족과 언어가 상이해지면서 인류는 보편적 의사소통에서 멀어져갔다.

보편적 커뮤니케이션의 꿈을 다시 복원하려는 시도는 이미 서양에서 근대 초기부터 여러 발명가들에 의해서 시도되었다. 기호학자 에코Umberto Eco는 《완벽 언어의 추구》라는 그의 저서에서 보편 언어의 꿈의 계보를 추적한 바 있다. 보편적 커뮤니케이션의 꿈은 크게 두 개의 노선으로 나뉘어 진행되었다. 하나는, 이미지와 문자의 보편적 시스템을 발명하여 언어, 문화, 민족의 걸림돌을 극복하하려는 시도였다. 또 다른 하나는, 에스페란토Esperanto 언어처럼 보편적 음성언어를 만들어 누구나 쉽게 학습하고 자연언어의 차이를 극복하려는 시도였다. 하기야 어떤 학자들은 세계화와 더불어 더욱더 가속화된 영어의 헤게모니를 일러 결과적으로 세계의 보편적 의사소통 언어의 역할을 맡게 되었다는 자조적인 말을 건네기도 한다. 물론 두 번째 노선, 즉 인간의 상이한 음성언어들의 차이를 극복하려는 가장 극명한 사례는 자동 음성 번역의 유토피아에서 찾아볼 수 있다. 이를테면 이탈리아어를 전혀 모르는 한국 관광객이 피렌체에서 한국어로 이탈리아 사람에게 길을 물어보면 곧바로 자동 통역기가 이탈리아어로 발음해주는 장면을 연상하면 될 것이다. 요컨대 현재 보편적 의사소통을 실현하기 위한 두 개의 경쟁적 루트가 개발되고 있는 실정이다. 양자 가운데 누가 먼저 승리할지는 아직 장담하기 어렵다.

첫 번째 노선의 쉬운 사례를 들면, 실제 유럽에서 개발하고 있는 프로젝트 가운데 하나로서 호텔 예약의 전 과정을 오직 아이콘과 픽토그램만으로 실현할 수 있는 프로그램을 언급할 수 있다. 물론 이 같은 보편적 시각언어 시스템은 유럽에서 이미 중국의 한자에서 영감을 받아 이미지 인식에 기초하여 1627년 '왕에게 헌정한 보편 언어 제안서' 스크립트를 제안한 프랑스 중국학자 장 두에Jean Douet에서 그 효시를 찾아볼 수 있다. 흥미로운 것은 당시 한자의 보편성이라는 환상에 사로잡혀 있었던 다른 유럽의 일부 지식인들과 마찬가지로 한자가 국제 언어를 위한 잠재적 모델이라고 주장했다는 점이다.(cf. Eco, Umberto, The Search for the Perfect Language, Cambridge, Blackwell, pp.158-159, 1995.) 그와 동시에 독일의 철학자이며 수학자인 라이프니츠Gottfried Wilhelm Leibniz는 자신이 발명한 보편 기호 체계characteristica universalis에서처럼 인간 사유의 알파벳으로서, 모든 관념들을 간단한 몇 개의 원초적 관념들의 조합을 통해서 구성할 수 있다는 원칙을 제안했다. 실제로 라이프니츠의 보편 상징 언어는 시각적 다이어그램diagram들로 형성되었으며 언어와 문화의 차이를 넘어서 과학적 메시지의 교환을 실현하기 위한 의도로서 고안된 시각적 다이어그램이었다.

그런데 두에가 사용한 '모델'이라는 단어는 의미심장하다. 왜냐하면 두에는 보편 언어를 한자의 개별 글자들 자체의 형태에 국한시키지 않고 한발 더 나아가 서로 다른 언어를 사용하는 사람들이 소통할 수 있는 이미지 인식 시스템을 겨냥했기 때문이다. 두에의 선구적 저서가 출간된 지 400년이 지난 21세기 초, 디지털 문화가 추구하는 커뮤니케이션 방식은 두에가 예측한 방향에서 진화했다고 말할 수 있다. 요컨대 서로 다른 문화권에서 사용되는 전통적 음성언어의 형식이 더 이상 커뮤니케이션을 위한 가장 적절한 방법이 아니라고 감지하게 된 것이다. 음성언어의 장벽을 넘기 위한 집요한 인류의 노력은 전통적인 문자언어 대신 누구나 쉽게 지각하고 이해할 수 있는 아이콘들과 이미지들의 보편적 사용 방식을 개발하는 데 공력을 집중했다.

그 같은 노력의 전범은 20세기 실증주의實證主義 철학에 바탕을 두고 국제적 시각 커뮤니케이션의 유토피아를 보다 구체적으로 실현한 오토 노이라트Otto Neurath가 발명한 '아이소타입Isotype'으로서 오늘날 전 세계 도시에서 사용되고 있는 교통 표시판의 이론적 근거를 마련한 획기적인 발명이었다. 노이라트의 시도는 20세기 도시 문명에서 사용되는 모든 시각 커뮤니케이션의 발판이었다는 점과, 본 책의 저자인 쉬빙이 시도한 보편적 시각언어의 직계라는 점에서 부연 설명이 필요하다. 아울러 현실과 생각을 시각 이미지를 통해 표상할 수 있다는 그의 생각은 철학자 비트겐슈타인Ludwig Wittgenstein과 일맥상통한다는 점에서 이에 대한 약간의 설명도 마련될 필요가 있다.

논리적 실증주의의 철학, 상당수의 컴퓨터 언어학, 아이콘 언어의 디자인은 모두 메시지들을 요소들로 분할하는 것을 통해 명료성을 추구했다는 공통점을 지닌다. 이 점에서 노이라트는 논리적 실증주의에 속한 그래픽디자이너였으며, 자신이 고안한 아이소타입 시스템을 일러 '그림 언어picture language'로 묘사했다. 그는 무엇보다 그림 언어가 명료한 사유에서 이루어지는 교육이라는 점을 천명했다. 그런데 이 대목에서 우리가 기억해야 할 인물은 노이라트와 같은 논리 실증주의에 속하면서 현대 언어철학의 토대를 마련한 철학자 비트겐슈타인이다. 그는 그 유명한 《논리−철학 논고》에서 명료성의 문제를 자신이 추구하는 철학의 핵심 과제로 삼으면서 다음과 같이 진술했다.

"사유될 수 있는 모든 것은 명료하게 사유될 수 있다. 단어로 옮겨질 수 있는 모든 것은 명백하게 옮겨질 수 있다."

노이라트와 비트겐슈타인 모두 복잡한 생각은 간단한 생각들로 분해될 수 있다는 가능성을 믿었다. 아울러 두 사람 모두 일차적으로 그 같은 분해 가능성이 그림 언어 속에서 작동하는 것으로 보았다. 노이라트는 아이소타입 다이어그램을 사실 그림으로서 지시했으며, 비트겐슈타인은 아울러 언어적 진술들을 그림의 구조와 흡사한 것으로 보았다. 그는 모든 유의미한 진술을 일정한 의미에서 하나의 그림이라고 주장했다. '하나의 그림은 하나의 사실이다' '하나의 그림은 현실의 모델이다' 풀어 말해서 그림의 요소들은 그것들이 표상하는 대상들을 직접적으로 지시하는 것으로 가정된 것이다. 즉, '하나의 그림에서 그림의 요소들은 대상들을 표상'한다. 노이라트 역시 그의 그림 언어가 다른 자연언어들에서 이루어진 진술들을 위한 공통적 기저의 형태를 제공하는 것으로 보았다. 그는 이렇게 말했다.

"우리는 하나의 국제적인 그림 언어를 만들었으며, 그 언어로 진술들은 지구상의 모든 언어들로부터 이루어질 수 있다."

독자들이 읽을, 더 정확히 말해서 소리 내서 읽지 않고 그냥 눈으로 봐야 할 이 책은 위에서 제시한 두 개의 보편적 의사소통의 꿈에서 바로 첫 번째 노선에 해당되는 범주이다. 대략 120여 쪽에 이르는 이 책에는 기존의 책 범주에서 필수 불가결한 요소로 간주되었던 특정 문자의 단어들이 단 한 개도 없다. 오직 이미지, 즉 아이콘, 픽토그램, 이모티콘 등의 그림들로만 이루어져 있다. 심지어 책의 목차조차 단어가 아닌 아이콘으로 제시되어 있다. 이 책의 중국어 원제목은 '地書', 즉 인간의 삶을 영위하는 대지의 책을 의미하며, 참고로 영어 번역본 제목은 'Book from the Ground'로 되어 있다.

이 책이 기존의 컴퓨터 아이콘이나 회사의 로고와 근본적으로 다른 것은 단순히 하나의 단어나 단순 상황을 지시하는 차원에 머물지 않고 문장을 형성하고, 더 나아가 한 편의 긴 서사를 만들어내고 있다는 점이다. 앞서 필자가 선사시대 동굴벽화를 언급하면서 한 가지 빼놓고 넘어간 것이 있는데, 호모 사피엔스는 다름 아닌 이미지를 최초로 만들고 끔찍이 사랑했다는 점에서 '호모 그라피쿠스Homo graphicus'라는 별명을 지어줄 수 있다는 점이다. 동굴벽화는 단순히 낙서나 즐거움의 오락이 아닌 분명한 메시지를 전달하고 있고, 호모 사피엔스가 말을 한 것은 다름 아닌 이야기를 들려주려는 시도를 했다는 점에서 '호모 나란스Homo narrans'라는 또 다른 별명을 첨언할 수 있다. 바로 이 점에서 현대 중국미술의 거장 반열에 오른 쉬빙의 책은 인류 최초의 제스처,

즉 그래피즘과 이야기를 들려주려는 원초적 몸짓과 맞닿아 있다. 그는 무엇보다 보편적 아이콘 커뮤니케이션을 통해 단순히 아이콘의 기능적 차원을 넘어서, 현대 도시인을 표상하는 화이트 컬러 직장인의 24시간 생활을 묘사하는 짧은 소설을 제시하고 있는 것이다.

이 책은 한마디로 현대 중국이 낳은 세계적 그래픽 아티스트에 걸맞는 창의적이며 실험적이고 도발적인 작품이라 할 수 있다. 그가 디지털 시대의 새로운 '리터러시literacy'를 실현하기 위한 구상을 하게 된 것은 자신이 빈번한 해외여행을 위해 시간을 보낸 공항에서였다. 공항은 언어와 문화가 다른 사람들이 모이는 장소로 그 어떤 공간보다 신속하고 효과적인 커뮤니케이션을 필요로 하는 장소라는 점에서 다양한 아이콘들과 픽토그램들의 경연장이라 할 수 있다. 그는 십여 년 전부터 공항을 비롯해서 세계 각국의 공공장소에서 수백만 개의 아이콘들과 픽토그램을 수집해서 그의 연구팀과 더불어 일정한 사전을 작성했다. 결정적으로 그가 아이콘만으로 한 편의 서사를 쓸 수 있다는 가능성을 깨달은 것은, '껌을 휴지에 싸서 휴지통에 버려주세요'를 지시하기 위해 그린 간단한 픽토그램에서였다.

이 책은 알파벳의 행렬 대신 다양한 아이콘들과 픽토그램들의 조합과 배열을 통해 하나의 문장, 단락 등을 마치 문자 텍스트처럼 형성하고 있다. 이 책은 먼저 점으로 시작한다. 이제 인터넷 사용자들에게 익숙한 구글 어스Google Earth의 이미지와 더불어 도시의 아이콘에서 시작해, 다시 익명의 집이 표

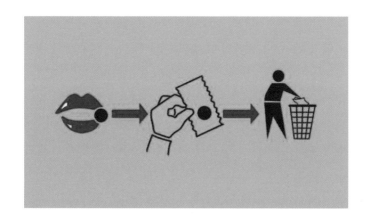

현되고, 그 집 밖에 있는 새가 나뭇가지에서 지저귀는 모습을 형상화한다. 모든 서사가 '옛날 옛적에'라는 표현으로 시작하듯, 이 책의 서사 역시 시작을 7시라는 시간적 표시로 제시한다. 그리고 서사의 공간은 다름 아닌 지구촌 마을이다. 중국어와 영어를 픽토그램이라는 매개 언어를 통해 번역하려는 컴퓨터 프로그램의 실현이라 할 수 있다. 7년 이상의 연구 개발이라는 각고의 노력 끝에 쉬빙은 보편적 시각 커뮤니케이션이라는 인류의 오랜 기획에 새로운 이정표를 세운 것이다. 그 언어에는 아직 완벽하지는 않으나 자연언어의 고유한 표현 양태인 암시, 감정, 톤 등의 미묘한 표현 양식까지 시도하고 있다. 이 서사의 주인공 미스터 블랙Mr. Black의 하루는 우리 현대인의 일상과 별반 다르지 않다. 지극히 세속적인 삶과 동시에 도시인의 꿈들로 가득 차 있다.

쉬빙은 자신이 고안한 아이콘 언어의 미묘함에 대해서 여러 차례 진술한 바 있다. 이를테면 갓난아기를 지시하기 위해서 하나 이상의 단어들이 존재하는 것처럼, 각각의 개념에 대해서 하나 이상의 아이콘이 존재한다. 물론 각각의 아이콘은 그것의 고유한 맥락적 적합성과 개별성을 갖는다. 쉬빙의 책은 한마디로 창발적 시스템이다. 다시 말해 생동하고 성장하고 발전되어 나가는 언어인 것이다. 그의 아이콘 언어 시스템이 다른 시스템들과 차별화되는 것은 두 가지로 설명된다. 하나는 아이콘의 재원이 개방되어 있다는 점이며, 다른 하나는 이미 존재하는 아이콘들을 사용해서 만들어졌다는 점에서 사용자의 친화성을 제고 시켜주었다는 점이다. 즉, 그의 말을 빌리자면 '공유되는 시각적 경험과 통상적으로 알아볼 수 있는 요소들에 기초한 시각언어'인 것이다.

쉬빙이 독자들에게 그의 글들과 대담을 통해서 내놓은 주장을 참조해보면, 무엇보다 전통적 식자識字의 개념에서 벗어나 디지털 테크놀로지의 파상적 확산으로 인해 발생한 아이콘들의 보편적 사용이라는 맥락을 내세우고 있음을 알 수 있다. 실제로 그는 이 책을 일러 '세계 최초의 국제적 독자가 읽을 수 있는 책'으로 자리매김하려 하고 있다. 다시 말해 자신의 책은 어떤 언어를 사용하든 교육적, 문화적 배경과 상관없이 판독할 수 있을 것이라고 확신하고 있으며, 특히 자신의 경험담을 제시하면서 인터넷과 스마트폰에 더 많이 노출된 어린 세대들이 더 쉽게 읽을 것으로 내다보았다. 실제로 저자에 따르면 미국, 중국, 홍콩, 타이완의 독자들과 더불어 이 책의 가독성 실험을 한 결과 큰 차이가 없었으며, 단지 독자의 연령대에 따라서 판독성에서 다소 차이가 나났다는 것이다.

쉬빙은 이 책의 가치에 대해 확고한 신념을 피력하고 있다. 즉, 시각 커뮤니케이션은 의심할 나위 없이 가장 신뢰할 수 있는 커뮤니케이션 수단으로 문화적 차이를 극복할 수 있는 잠재력을 갖는다는 것이다. 그 이유는 다른 의사소통 수단들에 견주어 시각 커뮤니케이션은 공통적 경험에 기초한 직접적 정보를 제공할 수 있기 때문이다. 따라서 직접적 경험들에 기초한 기호들과 상징들은 보다 보편적으로 인지될 수 있다. 예컨대 번개와 천둥을 형상화한 아이콘, 자동차 모습을 그린 아이콘을 생각해보면 된다. 인류는 그 같은 시각적 경험을 언어, 지리, 문화적 배경과 상관없이 공유한다. 물론 하나의 아이콘과 픽토그램에는 수많은 변이형들이 파생할 수 있다. 마치 하나의 표준어에서 많은 방언들이 파생할 수 있는 것처럼 말이다. 이를테면 커피숍을 나타내는 수백 개의 기호가 존재한다. 쉬빙은 자신의 작업이 바로 심리적, 시각적 타성에 기초하여 세상에 탄생한 엄청난 수의 아이콘들과 픽토그램들을 조직화하고 분석하는 것이라고 설파한다. 아울러 자신이 추구하는 것은 공통적인 시각적 요소들을 발견하여 시각 커뮤니케이션의 가능성을 획기적으로 높이는 것이라는 점을 강조한다.

요컨대 쉬빙은 이 책을 통해서 '어느 정도까지 기호들과 상징들은 하나의 언어로서 기능하는가'라는 본질적 물음을 제기하고 있는 것이다. 동시에 그는 기호들과 상징들의 기존 능력을 극대화시킬 것을 희망한다.

물론, 쉬빙 역시 시각적 언어의 한계들을 간파하고 있다. 이를테면 몇몇 생각들은 쉽게 이 같은 상징 언어와 더불어 표현될 수 있으나 다른 생각들은 그림 언어로만 표현하기가 매우 어렵다. 어쨌거나 그는 이 같은 언어가 반드시 성취할 수 있다는 확신을 강하게 피력하고 있다. 이 책은 표준 한자로 옮겼을 때 약 1만 4000개의 한자로 환원된다. 쉬빙의 설명에 의하면 기원전 1500년경에 사용된 갑골 한자의 숫자가 260개라는 점에서 오늘날 기호들과 상징들의 숫자는 무한하고 새로운 기호들과 상징들은 계속해서 발명되었다는 점을 증언한다. 어쨌거나, 이 점은 아이콘 언어가 곧 이미 하나의 언어로서 자격을 갖추었다는 점을 말한다.

문자학, 시각기호학, 매체학을 적지 않은 기간 동안 연구해 온 필자의 시각에서 본다면, 바로 이 책의 최대 관심사는 과연 얼마나 많은 독자들이 쉬빙의 희망대로 이 책을 판독할 수 있을 것인가에 있다. 이 문제에 대한 답변과 상관없이 한 가지 확실한 것은 이 책은 아마도 최초로 번역자가 필요 없는 책을 실현한 것만으로 그 의의를 삼을 수 있을 것이다. 실제로 이 책은 중국어 원판을 비롯해 홍콩과 타이완, 미국, 프랑스, 멕시코 등에서 출판되었는데, 특정 언어의 단어들이 사용되지 않았기 때문에 판본들은 동일하고 오직 ISBN(국제표준도서번호)만 다를 뿐이다.

이 책에서 사용된 매체는 특정 자연언어가 아니라 하나의 스크립트, 즉 시각적 매체이다. 이 책은 곧 하나의 픽토그래피, 즉 그림 문자로서 한국 독자, 프랑스 독자, 중국 독자는 각기 자기 나라의 언어로 읽어갈 수 있겠으나 사실상 단 한 개의 아이콘이나 픽토그램은 그 자체로 특정 자연언어로 발음될 수 없다. 쉽게 설명해서, 흡연 금지를 알리는 픽토그램을 굳이 자연언어로 발음하지 않고도 우리는 곧바로 그 의미를 파악할 수 있는 원리를 생각하면 된다. 이를테면 컴퓨터에서 쉽게 접하는 아이콘들을 특정 자연언어로 발음하는 것은 아이콘의 기능을 효과적으로 사용하는 것과 별개일 뿐만 아니라 필요한 과정조차 아니다. 이렇듯 쉬빙의 이 책은 문화적, 언어적, 세대적 차이를 초월한 보편적 스크립트를 지향하고 있는 것이다. 흥미로운 것은 쉬빙이 자신의 시도를 에스페란토와 비교하면서, 일정한 학습을 요구하고 다분히 유토피아적 성격을 갖고 있는 에스페란토와 달리 자신의 시도는 이미 대중들이 현실에서 사용하고 있는 아이콘과 픽토그램을 수집해서 만들었다는 점에서 그 어떤 학습도 필요가 없고 따라서 매우 효과적인 커뮤니케이션의 수단으로 자리 잡을 수 있다고 자신하고 있다는 점이다. 물론 쉬빙 자신이 첫술에 배부를 수 없다는 점을 강조한다. 자신이 제안하는 아이콘 기반 언어는 현재에는 적지 않은 한계에 봉착할 것이나 미래의 잠재력에 방점을 찍고 있다.

쉬빙은 바벨탑 신화가 표상하는 인류 소통의 분열이라는 역사적 의식과 더불어, 21세기 세계화와 디지털 시대에서 날로 팽창되어가는 시각 커뮤니케이션의 생태계를 의식하고 있다는 점에서 심오한 문제의식을 담고 있다. 주지하다시피 세계화는 전통적 민족국가의 경계선을 넘어서는 초국가적 커뮤니케이션 양상을 생산하고 있고, 특히 소비자 라이프 스타일의 표준화와 획일화를 가져왔다. 이 같은 맥락에서 의사소통을 용이하게 만들어준 시각적 알아보기의 상징 시스템들이 신속하게 확산된 것은 당연한 이치라 할 수 있다. 실제로 아이콘들과 픽토그램의 숫자는 기하급수적으로 폭증하고 있는 추세이다. 특히 젊은이들의 이모티콘들은 옛날 세대들이 전혀 이해할 수 없는 수준으로 신속하게 진화되어가고 있다. 세계의 아이콘들과 픽토그램들의 생태계를 연구하는 주제를 선사했다는 점만으로도 언어학, 기호학, 커뮤니케이션, 디자인, 매스미디어 분야의 전공자들에게 큰 선물을 준 셈이다.

한마디로 인류의 커뮤니케이션의 지정학적 조건들이 급격하게 변화했다는 점을 지적해야 할 것이다. 그것은 무엇보다 가속화된 세계화와 디지털 매체 환경으로 압축될 수 있다. 실제로 국제적 아이콘들 시스템의 팽창을 손꼽을 수 있거니와 이 같은 상징들은 집중화된 인간 밀도와 다양성의 영역에서 발견된다. 공항은 그것들을 사용하는 최초의 장소이다. 여객기 안전 지시 카드와 공항 기호들은 공통적인 독자 텍스트이다. 공항은 지구촌 마을을 응축하며, 무의식적으로 이 같은 텍스트들은 문자 단어를 초월하는 실제적인 시각적 시스템을 형성하는 데 도달한다. 따라서 인류는 이

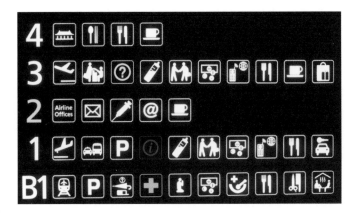

미지들을 통해서 커뮤니케이션하는 시대에 진입한 것이다. 우리가 분명히 목격하고 있는 현상은 오늘날 글로벌 청중을 겨냥하는 모든 것은 신속하면서도 효과적인 인지 가능성과 확산 방식을 실현할 수 있는 의사소통 방식을 전면적으로 사용한다는 사실이다. 이를테면 경제적 세계화는 언어적 매개를 거치지 않는 즉각적인 브랜드 커뮤니케이션을 요구한다. 따라서 세계적 회사들과 생산품들은 소비자들의 마음을 사로잡을 수 있는 효과적인 로고 이미지를 반드시 사용해야 한다. 풀어 말해 상이한 문화권의 언어와 지역적 차이들을 초월할 수 있는, 명료하게 정체성이 파악될 수 있는 시각적 특징들을 담고 있는 로고들을 사용할 수밖에 없는 상황에 처했다. 실제로 이제 다국적 기업들은 언어 번역보다는 단어를 사용하지 않는 직접적인 시각적 의사소통 방식을 선호한다.

아울러 개인용 컴퓨터는 특화된 전문 어휘를 직관적, 시각적 언어로 전화轉化하는 데 있어서 근본적으로 새로운 여건을 형성했다. 전통적 텍스트와 숫자 대신 아이콘들을 사용하면서 첨단 기술을 사용하는 데 요구되는 수고와 기초 지식을 현저하게 줄여주었다. 이제 누구나 컴퓨터 구동이 가능하게 된 것이다. 인터넷의 편재성遍在性과 신속한 수렴收斂, 초국가적 커뮤니케이션과 정보 공유는 상이한 민족어들 사이에서 이루어지던 기존 대화 방식의 한계를 노정露呈케 했으며, 결과적으로 소셜 미디어와 온라인 게임은 일차적으로 픽토그램과 이미지들이 엄청난 볼륨에서 창발하게 만들었다. 이 같은 어휘는 빛의 속도로 발전해 나갔으며 과거의 지리적 한계에 속박을 받지 않는다. 애플 'iPhone 6'와 삼성 '갤럭시 S 6' 시대에서 스마트폰은 아이콘들의 언어로 가득 차 있다. 기술 소비의 이 같은 감염, 순간 커뮤니케이션들은 글로벌 이데올로기의 방향성에서 이동을 지시한다. 쉬빙의 소신에 의하면 디지털 시대에서 사람들의 의사소통을 획기적으로 제고 시킬 수 있는 것은 결코 언어적, 문화적 차이의 깨진 보루에 있지 않고 공유되는 정체성과 연계성에 있다.

이 책은 보편적 시각 커뮤니케이션의 가능성과 한계에 대한 물음을 던지고 있다. 그런데 시각언어와 문자언어에 대한 저자의 이 같은 성찰적 태도의 의미는 이미 이에 앞서 쉬빙이 내놓은 또 다른 문제작 〈天書〉와의 연계선상에서 그 의의를 제대로 이해할 수 있을 것이다. 이 책은 쉬빙의 예술적 깊이와 더불어 현대 중국 미술을 국제적 무대의 반열에 올려놓은 작품으로 인정받고 있다. 1987년부터 1991년 사이에 창조된 〈천서〉는 쉬빙이 새로 만들어낸 4000개의 판독 불가능한 한자들을 인쇄한 텍스트로서, 특히 중국의 전통 목판 인쇄 기술을 사용한 문제작이다. 독자들이 읽을 《지서》가 민족, 인종, 언어의 장벽을 초월하여 누구나 읽어낼 수 있는 보편적 의사소통의 지평을 열어놓았다면, 이보다 20년 전에 나온 〈천서〉는 세상의 그 누구도 읽어낼 수 없는 가독성의 극단을 탐구한다. 이 같은 소통 불가능성의 경험은 결코 관념적 사유에서 탄생한 것이 아니라 그가 미국 땅으로 건너가 영어와 미국 문화에 서툰 나머지 겪었던 자신의 생생한 경험에서 나온 것이라는 점을 첨언할 필요가 있다. 하지만 쉬빙의 언어의 본질에 대한 성찰은 더 일찍 싹텄다. 그는 중국의 이미지 문화와 문자 문화에서 자신의 성찰과 상상력의 수액을 길어 올렸음을 다음과 같이 실토한다.

"기호언어에 대한 나의 감수성은 내가 한자와 중국어의 생생한 전통에 결속되어 있다는 사실에 있다. 나는 이 문화에서 이미지 읽기의 습관을 키워 왔다."

특히 마오쩌둥이 시도한 한자의 개혁, 즉 간자체 운동은 쉬빙에게 깊은 인상을 심어준 것으로 알려져 있다. 이를테면 신이 준 선물로 중국인들의 의식 속에 각인된 한자의 신화와 신성함이 산산조각난 것이다. 이제 언어와 문자는 정치적 기능과 책무를 실현하기 위한 도구로써 사용될 수 있고 더 나아가 마음 내키는 대로 조작될 수 있다는 점을 여실히

입증했던 것이다. 실제로 쉬빙이 그래픽 디자이너로서 첫 경력을 시작한 것은 문화혁명 시절에 대중 설득을 위해 사용된 선전용 잡지의 편집과 디자인이었다. 그가 본격적인 예술적 창조를 시작한 것은 현대 중국의 격동기라 할 수 있는 1980년대에 접어들면서이다. 중국의 1980년대는 문화혁명과 더불어 경제적 개혁과 개방에 착수하면서 새로운 비판적 검증의 시대에 진입한 격변기이다. 그 시대는 상호 모순적인 사회적 힘들과 극단적 변화에 의해서 지배되는 시대로 특징지어지며, 쉬빙의 기념비적 작품이라 할 수 있는 〈천서〉는 한편으로는 서구 중심주의, 다른 한편으로는 현대 중국의 정치와 전통의 현실이라는 두 개의 상황에서 나온 작품이다. 이 〈천서〉는 중국에서 계속된 진리의 가면 씌우기와 조종에 대한 직접적 반응이며 비판의 칼이라 할 수 있다. 1960년대 진행된 간자체 운동을 묘사하는 쉬빙의 진술은 가슴을 파고들 만큼 진정성을 보여준다.

"문자 단어를 변화시키는 것은 문화의 초석을 가격하는 것이다. 언어를 재구성하는 것은 한 존재의 심장을 잘라내는 일이며, 문화혁명이라고 불려져야 한다. 그 용어는 적절하다."(Xu Bing. "To Frighten Heaven and Earth and Make the Spirits Cry", Takatoshi Shinoda, The Library of Babel, Tokyo: NTT Publishing Co. Ltd, pp.64-72, 1988).

자신의 두 권의 책을 비교하면서, 쉬빙은 다음과 같이 적는다. "그 두 권의 책은 총체적으로 차이가 나는 것처럼 보인다.

하지만 일정한 공통성을 공유한다. 즉, 어떤 언어를 말하건, 어떻게 교육을 받았건, 두 개 모두 가능하거나 불가능하다. 읽어야 되는 이 세계에서 말이다. 〈천서〉에서 나는 중국어의 작금의 상태에 대한 나의 수치심을 표현했다. 《지서》에서 나는 모든 인간들이 어려움 없이 자유롭게 소통할 수 있다는 꿈을 추구했다. 이것은 실현하기에는 너무 큰 종류의 문제이다. 하지만 중요한 것은 내가 시도했다는 점이다."(Xu Bing, "Regarding Book From the Ground", Chinese Contemporary Art – Yishu Dangdai, April 2012.)

쉬빙은 중국 태생의 아티스트이지만 미국으로 건너가 20년 동안 체류하다 2008년 베이징 올림픽 때 고국으로 다시 돌아왔다. 창의적인 연구를 수행하는 사람들에게 주는 맥아더상MacArthur Fellowship 및 미국 국무부가 수여하는 예술상a State Department Medal of Arts을 비롯해 문화 간 대화와 이해를 증진시킨 공로로 여러 상을 수상한 바 있다.

독자 추천사

기내의 안전 행동 요령이 적힌 카드에서 영감을 받아 탄생한 쉬빙의 상형문자 언어는 문화적, 교육적, 언어적 경계를 초월하고 문맹자들도 지성인들과 같은 '읽는 것의 즐거움'을 느끼도록 하는 데 목적이 있다고 밝혔다. 몇몇 비평가들은 이 책의 내용이 사람의 하루를 따라가며 배변, 뭘 먹을지에 대한 백일몽, 사랑 때문에 고뇌하는 것을 포함한 하루의 세부 사항들을 다룬다는 점에서 제임스 조이스의 《율리시스》와 비교해왔다.

노모어_〈워싱턴 포스트〉(2014.10.30.)

지금보다 더 많이 창의적이려면 내게 무엇이 필요할까? 일상의 사소한 것들에 대한 꼼꼼한 관찰, 시대의 트렌드에 대한 적극적인 이해, 차별화된 생각이 드러날 때까지의 확실한 몰입. 이 세 가지가 꾸준히 반복된다면 창의적 산출물은 자연스레 따라온다.

이 책은 이러한 과정과 가능성을 보여주는 명확한 샘플이다. 책장을 하나둘 넘기면서 저자의 남다른 창의성에 놀라기보다는 내 안의 잠재적 가능성에 더 큰 비중을 싣게 된다. 창의적 사고의 재미를 일깨우며 생각의 지평을 넓혀준다. 드디어 흥미롭고 색다른 책읽기가 시작된다.

김명주 서울여자대학교 정보보호학과 교수,
교양 과목 〈창의적 사고〉 담당

그 어느 누구도 똑같이 해석하지 않을 것이다. 다시 읽을 때마다 해석이 달라지고, 주인공이 느낄 감정에 대한 몰입이나 공감이 달라졌다. 의미를 유추하고, 예측이 빗나갔을 때에 다시 앞으로 돌아가 보는 과정은 추리소설을 풀어나가는 것과 같은 재미를 주었다. 이 책은 언어와 문화적 장벽을 넘어 무한한 상상력을 펼칠 수 있게 하는 어른들을 위한 신선한 뇌 자극 소설이다.

반면, 주인공의 24시간에 지나친 공감을 느끼는 내 자신을 보며, 단순한 아이콘만으로도 표현되는 평범한 삶에 대해 돌아보게 되었다. 그것은 삶에 대한 허무함과 동시에 나만 이렇게 사는 것은 아니구나 하는 안도감이었다. 이메일, 휴대폰, SNS 등을 통해 삶을 영위해가는 지구상의 모든 점Mr. Black들이 위안을 얻을 수 있을 것이라 생각한다.

박혜정 현대카드 커리어개발팀

다양한 심볼들이 복잡하고 낯설어 '이게 뭐지?' 했던 불편감은 이내 사라졌다. 책장을 한 장 한 장 넘기면서 거북할 수 있는 내용이나(👤💩↘🐸💩↙), 일상적인 이야기들을 이모티콘으로 표현한 것을 보는데 피식피식 웃음이 나오더니 내 생활의 사소한 부분까지 들여다보는 것 같은 설렘을 느꼈다.

특히 이 책은 혼자 읽는 것보다 친구나 애인 혹은 언어와 문화가 다른 외국인 친구가 있다면 그들과 함께 읽을 것을 권하고 싶다. 해석한 내용을 서로 공유하며 상상력의 무한함과 다양성을 배우게 될 것이다. 표지부터 내지까지 글자가 전혀 없는 이 책은 '책을 읽는다'는 것보다 '책을 본다', '책을 해석한다'는 것으로 설명하고 싶다. 개개인의 생각과 환경에 따라 다르게 보이고 해석되는 내용이 흥미로움을 느끼게 해줄 것이다.

이 책은 한 번 읽고 책장에 꽂아두지 않고 곁에 두며 자꾸 들춰보게 되는 매력이 있다.

최종완 미국 버클리대학교 경제학과

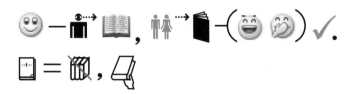

책의 내용은 지극히 평범한 직장인의 하루였는데 이모티콘의 의미를 해석해 나가다 보니 주인공의 하루에 점점 빠져드는 기분이 들었다. 글자가 없어서 그냥 쉽게 읽을 수 있을 거라 생각했던 것과는 달리 집중을 해야만 하는 부분들이 꽤 있었다.

결코 가볍지 않았다. 이 책의 매력이 바로 이런 점이 아닐까 생각한다. 첫 장을 열면서 책의 줄거리가 문학적인 깊이는 없다고 느껴지기도 했다. 그러나 '친숙한' 혹은 '낯선' 이모티콘의 의미를 해석하며 이야기를 만들어가느라 꼼짝도 하지 않고 있는 나를 보았다. 이 책은 저자의 의도가 무엇이었든 나에게 엄청난 상상력과 집중력을 경험하게 해주었다.

송유진 서강대학교 영문과

독자 해석 엿보기

김형은 _ 언론홍보학 전공 학생

"이 책을 읽을 수 있는 해석 가능성은 당신이 어떤 언어를 쓰고 있느냐에 달려 있지 않을 뿐
아니라 글을 읽을 수 있느냐, 없느냐에도 달려 있지 않다. 다만 당신이 얼마나 동시대의 삶
에 깊이 관여되어 살아가느냐에 달려 있다."
쉬빙

🕐

⏰ : " ♪♫♩♪♫♩ ‼ " ,👂 ! 😑 → 👁 !

👉 ⏰̸ , ⬤→⊞ , ☹ 👁 → 😑 .

🐱 📼 , ✋⇨🛏 . 😲 ! ☹ ,

🛏 , 🐈 → .

🛏 → 🚶 ▶▶ 🚽 . 🚽😖 ......

😖😣😫💦 ... 😲💩 , 🚽 💭(📱?)

🚽 , 👁 →📱─(ⓑ 8+ 📶 f) 🙂 ...😲 !

💩↓😖💦💩↓↓ ,😖🙂 ,🧻 ,⬤→💩 ,🔫 .

37

오전 7시

알람 시계가 음악 소리를 내며 울립니다! 알람을 들은 미스터 블랙이 번쩍 눈을 뜹니다! 시끄러운 알람을 끄고, 잠결에 밖을 보니 비가 내립니다. 기분이 우울해져 다시 눈을 감습니다. 잠에서 깬 고양이가 주인을 찾더니, 침대 위로 뛰어듭니다. 깜짝 놀라 짜증이 났지만 침대에서 몸을 일으킵니다. 주인을 깨운 고양이는 새침하게 돌아갑니다. 미스터 블랙은 일어나자마자 화장실로 향합니다. 변기에 앉아 모닝X을 해결하기 위해 안간힘을 씁니다…. 땀을 비 오듯 흘리며 힘을 줘봐도… 웬일인지 모닝X은 나올 생각을 안 합니다. 혹시 '내 장에 무슨 문제라도 있는 걸까?'라는 생각에 걱정이 됩니다. 미스터 블랙은 스마트폰으로 트위터, 구글플러스, 페이스북 등을 오가며 인터넷 서칭을 합니다. 갑자기 배에 신호가 옵니다. 한 번, 다시 힘을 주어 두 번, 드디어 시원하게 모닝X이 해결되니 미스터 블랙은 기분이 좋아졌습니다. 깔끔히 뒤처리를 하고 자신의 X을 한 번 확인한 후 물을 내립니다.

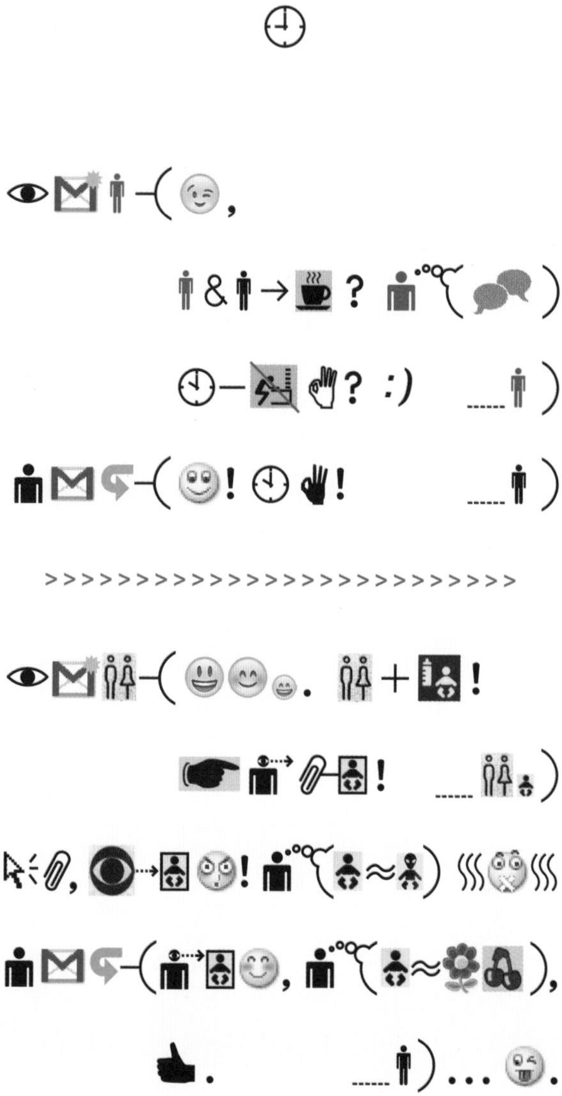

오전 9시

미스터 레드로부터 온 메일을 열어봅니다.

'안녕, 오늘 커피 한잔할래? 너하고 할 얘기가 좀 있어. 10시에 일이 바쁘지 않다면 잠깐 볼까? _ 미스터 레드'

미스터 블랙은 답장을 보냅니다.

'10시에 좋아! _ 미스터 블랙'

〉〉

친구 부부로부터 온 메일이 있습니다.

'우리 가족 모두가 안부를 전해. 드디어 우리 아기가 태어났어. 아기 사진을 첨부했으니 한번 볼래?^^ _ 우리 가족 모두가'

미스터 블랙은 첨부된 화일을 열어 아기 사진을 보고 깜짝 놀랐습니다! 아기가 꼭 외계인 같았습니다. 하지만 느낀 그대로 친구 부부에게 말할 순 없어 미스터 블랙은 이렇게 답장을 씁니다.

'아기 사진 잘 보았어^^, 아기가 꽃처럼 예쁘고 앵두처럼 사랑스럽구나. 최고야~ _ 미스터 블랙'

데헷~ 거짓말을 했습니다.

🔾

👆👁✉🚶‍♂️(😨.👉🕐🚶‍♂️🏫…!

🚶‍♂️)

🚶‍♂️°(🚶‍♂️)≈🏃‍♂️, 🚶‍♂️→🕐🕐!

🚶‍♂️🌍—(🧠🔄🧠🔄…🧠💡!).

👁→🕐🕐! ✂, ☎))))!

🚶‍♂️))👵

🚶‍♂️: "🚶‍♂️≠💀, ✂=💵=🍚"

👵: "🔍❤? 🧍=🕯×30≈🧓!

👉🔍→🧍!"

👵: "👉👂!?"

🚶‍♂️: "…👂!👂! 🚶‍♂️=🕯×28."

👵: "28! 28≈30…"

오후 2시

앗! 사장님으로부터 온 메일이 있어 열어보았습니다.

'갑작스레 곤란하겠지만 오후 3시에 보고서 프레젠테이션을 부탁하네…! _
사장'

미스터 블랙은 사장님의 메일에 번개를 맞은 것처럼 당황스럽습니다. 시간을 확인하니 현재 오후 2시, 3시까지는 한 시간밖에 남지 않았습니다. 머리를 이리 굴리고 저리 굴리며 쩔쩔매다가 좋은 생각이 떠올랐습니다. 어느새 15분이나 흘러버렸음을 확인하고 발표 준비에 박차를 가합니다. 이 와중에 전화 한 통이 옵니다. 엄마입니다.

엄마: "아들, 애인은 찾아보고 있는 거니? 너 벌써 서른인데, 서른이면 눈깜짝할 사이에 할아버지 된다. 적극적으로 여자 친구 찾아봐야지!"

엄마: "얘야~, 엄마 말 듣고 있는 거니?"

미스터 블랙: "… 듣고 있어요! 듣고 있습니다!! 그런데 전 30살이 아니라 28살이라고요."

엄마: "28살! 28살이나 30살이나 마찬가지지… ."

🕐

🏭! ☎ 🗄 📖 📁 📄 🧮.

😵—🏭 ⌐(👨) ☞ 🏭+☁?).

(🏭👍 ⌐👨⋯↻, 👨:"☞🏭✓,

☞🚶→⌂✓."

(😲→😄)—👤⌐ 🚶→🏠).

🚪→🏃↝🏃↴🏃→🛗↓🏃→

🏰→🏃→═,(🚇—👥 ⌐ 👮🚓,

💁:"☛📍🏙📍→⌂."

▶🚖⌂🛑, 🚗→🏃→⌂.

오후 5시

미스터 블랙은 열심히 일하고 있습니다! 전화 업무, 서류 정리, 참고 자료 검토, 업무 화일 확인, 보고서 작성, 정산 업무 등을 처리합니다. 미스터 블랙은 '오늘 같은 상황에 설마 사장님이 야근을 하라고 하진 않으시겠지?' 싶으면서도 걱정이 됩니다. 하지만 아침부터 지금까지 열심히 일한 미스터 블랙이 마음에 든 사장님은 "업무 다 정리됐으면 퇴근해도 좋아요."라고 말합니다. 미스터 블랙은 깜짝 놀랐고 이내 여자 친구와 함께 데이트할 생각에 기분이 좋아졌습니다. 서둘러 사무실에서 나와 엘리베이터를 타고 내려가 전력을 다해 뜁니다. 회사에서 빠져나와, 지하철은 사람이 많을 것 같은 생각에 택시를 잡습니다. 미스터 블랙은 택시 기사에게 집 주소를 알려줍니다. 택시가 집 앞에 도착했고, 미스터 블랙은 집으로 뛰어 들어갑니다.

🕐

🧍:"+🍺🍺!" 🧍‑‑→🧍😵, 🧍—😵.

🧍:"+🍺🍺!!" 🧍↱🚪ᶻᶻᶻ.

🧍‍♂️🍺🍺→🧍.

🧍😮:"🚫🍺🍺!"

🧍‍♂️:"$$$?"

🧍‍♂️:"🕐🧍—(🍺🍺🍺🍺🍺🍺
🍷🍷🍾🍾🍸🍷🍷🍸)"

😵—🧍‑$$$$$$$$$$$$$$$$$$→🧍‍♂️.

🧍°º°↝🚪ᶻᶻᶻ→🏠,☹️?)🚶—🚶→🚕.

🚕—(🧍‍♂️—), 🧍😮:"👉 🚏 🏠."

오후 10시

친구가 "한잔씩 더 마시자!"고 했지만 미스터 블랙이 보니 친구는 이미 만취 상태였기 때문에 참 당황스럽습니다. 친구는 "더 마시자니까!"라고 소리치더니 그대로 쓰러져 잠들어버립니다. 점원이 맥주 두 잔을 가져옵니다. 미스터 블랙이 깜짝 놀라 "아니, 됐어요. 그만 주세요!"라고 하니 점원은 "그럼 계산하실 건가요?"라고 묻습니다. 점원은 "한 시간 전에 저 남자분이 맥주 7잔과 와인, 보드카, 샴페인, 칵테일을 드셨습니다."라며 계산할 술값을 알려주었습니다. 미스터 블랙은 울며 겨자 먹기로 엄청난 술값을 계산하였습니다. 술에 취해 쓰러진 친구를 어떻게 집에 데려다줄지 고민하다가 술집에 있던 다른 사람의 도움을 받아 친구를 옮겨 택시에 태웠습니다.미스터 블랙은 택시를 타서 택시 기사에게 "이렇게 저렇게 가주세요."라며 친구의 집을 알려줍니다.

전문에 대한 독자 해석 — 블로그 안내

독자 김형은 씨가 《지서》를 읽고 해석한 내용을 헤이북스 블로그에 올려놓았다. 그러나 독자 여러분께는 가급적 참고하지 않을 것을 권해 드린다. 《지서》는 누구나 쉽게 읽을 수 있지만 각자의 상황과 감정에 따라 창의적 결과를 낼 수 있기 때문이다. 또한 익숙하지 않은 기호를 찾아가며 난해한 문장의 해석을 완성했을 때의 쾌감과 성취감은 이 책이 주는 최고의 선물이기 때문이다.

http://blog.naver.com/heybooksblog

독자와 함께 만드는 이야기

우리 주변에서 일어나는 흥미로운 일상을 '심볼 문자'로 구성하여 보내주십시오.
분량은 서너 문장 정도로 모두가 공감할 수 있는 내용이면 더욱 좋겠습니다.
선정되신 분께는 작은 선물을 보내드리며, 선정된 이야기는 《지서》의 증쇄 시 '독자 참여
페이지'에 게재할 예정입니다. 단, 활용되는 기호는 주관적으로 디자인한 것이 아니어야
하며, 반드시 현재 많은 사람들이 보편적으로 사용하고 있는 아이콘, 이모티콘, 심볼,
픽토그램 등을 활용해주시기 바랍니다.
보내주실 곳 heybooksblog@naver.com